DE DÓNDE DICEN QUE VINO LA GENTE

Mrinali Álvarez Astacio

LA EDITORIAL
UNIVERSIDAD DE PUERTO RICO

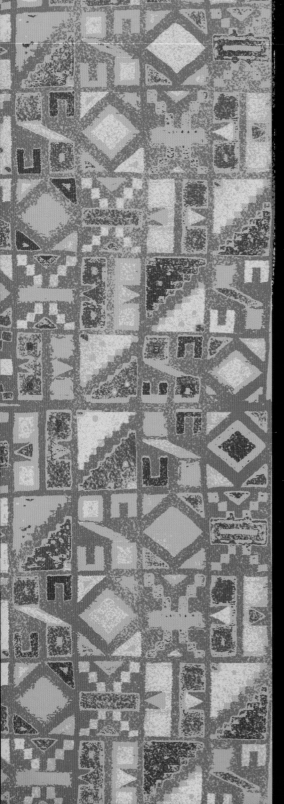

"Los poetas escriben los mitos a partir de intuiciones y revelaciones. Los mitos no se inventan; damos con ellos. Así como no podemos saber lo que soñaremos esta noche, de esa misma manera no podemos inventar un mito. Los mitos vienen de la región mística de la experiencia de la esencia."

– Joseph Campbell
Myths of Light

AL LECTOR

Fray Ramón Pané escribió allá por 1498 lo que le relataron los habitantes de La Española, con los que convivió después de haber llegado a la isla en uno de los viajes del Almirante Cristóbal Colón. Fray Pané dejó escrito lo que esos indios le contaron de cómo habían surgido las cosas del mundo.

Los mitos son las explicaciones fantásticas que dan los pueblos del mundo a los misterios del universo y de la naturaleza. Este libro es una versión libre de uno de los mitos que le narraron los indígenas a Fray Pané.

El espacio mítico que crean las ilustraciones de este cuento se basa en motivos pictóricos de diversas etnias aborígenes del mundo. De las que existieron y de las que existen todavía.

Yocahú y su madre Atabey se
asomaron a la ventana de un cielo
sin principio ni final.
Vieron unas islas hermosas
que flotaban en la mar.

Bajaron a verlas y las
encontraron desiertas.
Solo había dos cuevas,
una llamada Cacibajagua
y la otra Amayaúna.

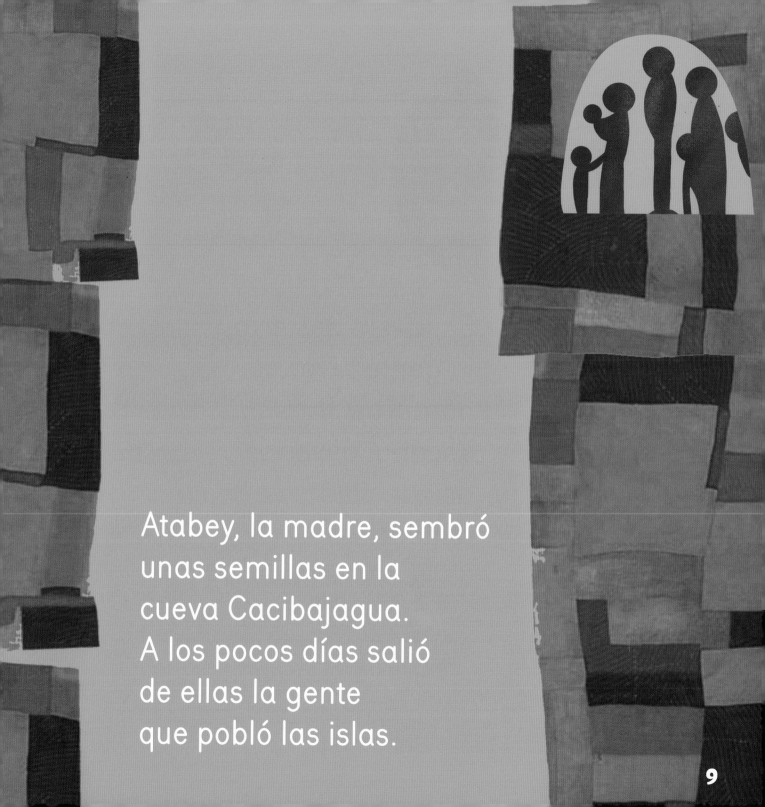

Atabey, la madre, sembró
unas semillas en la
cueva Cacibajagua.
A los pocos días salió
de ellas la gente
que pobló las islas.

En la isla desierta,
la gente tuvo
hambre y frío.
Yocahú, al verlos
así, decidió
ayudarlos.

Sembró otras
semillas en
la próxima
cueva, llamada
Amayaúna.
De allí salieron
las plantas
y los animales.

Después, Yocahú subió al próximo cielo
a buscar al Gran Anciano para que
les enseñara qué hacer con las plantas
y los animales.

El Gran Anciano les enseñó las hojas que se comen y las plantas mágicas que sirven para curar. También les enseñó a hacer pan de casabe.

En una noche de
luna llena, el Gran
Anciano bailó y
cantó el secreto de
los animales.

Les enseñó a escuchar y a entender a las cotorras cuando avisaban la presencia de Juracán, su hermano menor. Éste siempre llegaba con sus rabietas y vientos de lluvia.

Así cuentan que fue
la manera en que
aparecieron las personas,
las plantas y los animales
que poblaron las islas.

*A los niños de los hermanos pueblos
indígenas les dedico este libro.*

M.A.A.

Los libros de la Colección Nueve Pececitos son lecturas para hacerlas con los familiares, con los maestros en la biblioteca o en el salón de clase, como lectura suplementaria, y para los niños que ya dominan la lectura.

Premio Nacional de Literatura Infantil, 2006
otorgado por el PEN Club de Puerto Rico.

Serie Cantos y Juegos
Elementos de la tradición puertorriqueña resurgen a través de libros de nanas, canciones y juegos infantiles.

Serie Raíces
Las raíces culturales que conforman al puertorriqueño son la base temática de estos textos. Estos libros abren las puertas al mundo de nuestras tradiciones.

Serie Ilustres
Cuentos infantiles basados en la vida y obra de personajes que han tenido una presencia particular en nuestra historia. Hombres y mujeres cuyo legado debe ser conocido por las nuevas generaciones.

Serie Igualitos
Se explora cómo debemos incluir a todos los niños y niñas en las actividades diarias y en el salón de clase, sin importar que luzcan de manera diferente o tengan algún impedimento físico.

Serie Mititos
La fantasía y la realidad parecen fusionarse para presentar los relatos con que nuestros antepasados explicaban los misterios del universo.

Serie Raíces:
Las artesanías
*Grano a grano**
Los Tres Reyes (a caballo)
La fiesta de Melchor
Verde Navidad
Un regalo especial

Serie Cantos y juegos:
¡Vamos a jugar!
Pon, pon...¡A jugar con el bebé! (**)*

Serie Ilustres:
*Pauet quiere un violonchelo****
José pinta la Virgen

Serie Igualitos:
Así soy yo
*Mi silla de ruedas**
Soy gordito
Con la otra mano
Mi hermanito es autista
¿Qué crees?
No estás

Serie Mititos:
De cómo dicen que fue hecho el mar
De dónde dicen que salieron las gentes
De cómo nació el amor

*Selección de la SEP Secretaría de Educación Pública, México

**Latino Book Awards, 2006, EE.UU., Segundo lugar, "Mejor libro ilustrado para niños"

***Revista Críticas, EE.UU., "Mejores libros infantiles del 2006"

Primera edición, 2009
© La Editorial, Universidad de Puerto Rico, 2009
Todos los derechos reservados

De dónde dicen que vino la gente
ISBN: 978-0-8477-1585-5

Concepto: Somos La Pera, Inc.
Ilustraciones y texto: Mrinali Álvarez Astacio
Texto: Basado en *Relación sobre las antigüedades de los indios* de Ramón Pané
Diseño: Víctor Maldonado Dávila
Somos La Pera, Inc.

Impreso en Colombia / Printed in Colombia

LA EDITORIAL
UNIVERSIDAD DE PUERTO RICO
Apartado 23322, San Juan, Puerto Rico 00931-3322
www.laeditorialupr.com